Nathalie Bertrand

Tom le Terrible

Illustrations
Anne Villeneuve

Directrice
Den

MAXI Rat de bibliothèque

Catalogage avant publication de Bibliothèque et Archives nationales du Québec et Bibliothèque et Archives Canada

Bertrand, Nathalie

Tom le Terrible

(MAXI Rat de bibliothèque ; 17)
Pour enfants de 7 à 9 ans.

ISBN 978-2-7613-2821-0

I. Villeneuve, Anne II. Titre.
III. Collection : MAXI Rat de bibliothèque ; 17.

PS8603.E766T66 2010 jC843'.6 C2010-940465-3
PS9603.E766T66 2010

Éditrice : Johanne Tremblay
Réviseure linguistique : Claire St-Onge
Directrice artistique : Hélène Cousineau
Coordonnatrice aux réalisations graphiques : Sylvie Piotte
Conception graphique et édition électronique : Isabel Lafleur

Éducation ▸ innovation ▸ passion

5757, rue Cypihot, Saint-Laurent (Québec) H4S 1R3 ▸ erpi.com
TÉLÉPHONE : 514 334-2690 TÉLÉCOPIEUR : 514 334-4720 ▸ erpidlm@erpi.com

Dépôt légal – Bibliothèque et Archives nationales du Québec, 2010
Dépôt légal – Bibliothèque et Archives Canada, 2010

Imprimé au Canada
ISBN 978-2-7613-2821-0

1234567890 HLN 14 13 12 11 10
11209 C016

Des personnages de l'histoire

Tom le Terrible

Ses victimes

le facteur

Rosalie

madame Monique

sa mère

LE
GLACIER

Chapitre 1

Un enfant terrible

Tom rentre à la maison. Il passe devant le chien de madame Agathe, qui hurle de rage… Il passe devant le marchand de crème glacée, qui lui lance un regard glacial…

Les fenêtres se ferment, les jeunes se cachent et les moins jeunes cessent de se bercer. Mais que se passe-t-il donc ?

Les élèves, les voisins, les jeunes et les moins jeunes craignent Tom. Tout le monde l'évite. Même le facteur se méfie de lui. Mais pourquoi ?

On ne sait jamais qui sera la prochaine victime de Tom…

Quand Tom ne mijote pas une plaisanterie de mauvais goût, c'est qu'il est déjà occupé à faire un coup pendable. Il ne vit que pour ça. Il est vraiment l'enfant terrible du quartier. C'est pourquoi on le surnomme « Tom le Terrible ».

Chapitre 2

Un mauvais tour au facteur

Tom réfléchit. Il mordille le bout de son crayon en regardant par la fenêtre. Ses yeux deviennent ronds comme des billes.

— Bingo ! J'ai une idée extraordinaire, crie Tom.

Tom bondit, saute, danse et virevolte dans la cuisine. Il est trop heureux.

Il montre du doigt son image dans le miroir et dit :
– Eh, toi… Tu es génial ! Pour ne pas dire admirable ! Remarquable ! Formidable ! Allez hop ! Au travail, maintenant, petit génie !

Tom s'empresse de refermer la porte du réfrigérateur. Puis, il se faufile à l'extérieur de la maison pour rejoindre sa mère qui est en grande discussion avec le facteur.

Après quelques regards fuyants vers Tom, le facteur se dépêche de ramasser son sac et s'enfuit au pas de course.

Étonnée, la mère de Tom regarde le facteur s'éloigner et dit:
– Il est bien bizarre, le facteur... C'est bien la première fois que je le vois aussi pressé. On dirait qu'il a eu peur de quelque chose.
– Il a peut-être vu un fantôme, répond Tom en gloussant de rire.

Tom est fier de son coup. Il a eu le temps de mettre une merveilleuse surprise dans le sac du facteur.

Pour ne rien manquer de sa blague, Tom suit le facteur en cachette.

Le facteur fait à peine quelques pas que déjà les chats et les chiens du quartier sont à ses trousses.

Le facteur continue la distribution du courrier. Il fouille dans son sac. Soudain, il sursaute…

Au lieu d'un colis, le facteur sort de son sac un beau gros chapelet de saucisses bien dodues. Furieux, il regarde de gauche à droite à la recherche du fauteur de trouble.

Bien entendu, il ne lui en faut pas plus pour deviner que Tom le Terrible est l'auteur de cette mauvaise plaisanterie.

Le facteur, très en colère, poursuit Tom en criant :

– Viens ici, petit chenapan ! Vilain garnement !

Tom s'enfuit en riant. Il se trouve bien marrant. Il passe en courant devant le marchand de crème glacée, qui le regarde en soupirant. Il passe devant le chien de madame Agathe, qui gronde et lui montre les dents.

Tom cherche du regard quelqu'un pour rigoler... Personne ne semble s'amuser à part lui. Le facteur court toujours et il a l'air très fâché.

Tom ne rit plus. Il trouve que le facteur n'a aucun sens de l'humour...

Chapitre 3

Un mauvais tour à Rosalie

Tom est très excité. Il n'aime pas beaucoup l'école, mais aujourd'hui, c'est différent. Il a hâte d'arriver en classe. Il sait que cette journée ne sera pas comme les autres.

Ce matin, Tom prend un raccourci à travers les champs pour se rendre à l'école. C'est alors qu'il aperçoit cette merveille de la nature. Une belle couleuvre verte! Il bondit sur la pauvre bête et la met dans son sac. Il faut dire que Tom le Terrible n'a peur de rien.

Dans la cour de l'école, Tom scrute les environs. Il cherche la prochaine victime de son « super méga coup du jour ».

Tout à coup, Tom voit le sac de Rosalie laissé sans surveillance, près des balançoires. Rapide comme l'éclair, il ouvre le sac et y glisse sa merveilleuse surprise.

Quand la cloche sonne, Tom est le premier à s'asseoir à son pupitre.

Rosalie ouvre son sac pour y prendre ses livres. Elle sursaute en voyant la vilaine couleuvre sortir de son sac et glisser en faisant des grands « S » sur le plancher.

Rosalie reste figée de peur. Aucun son ne sort de sa bouche et elle est blanche comme une feuille de papier.

C'est Paul, l'élève assis derrière Rosalie, qui réagit le premier. Il s'époumone tellement à crier qu'il en perd la voix. Surpris, les élèves de la classe s'approchent et se mettent à hurler à leur tour en apercevant la couleuvre.

La pauvre bête, plus apeurée qu'épeurante, s'enfuit rapidement en passant entre les jambes de la grande Stéphanie.

Les élèves bondissent sur les chaises en poussant des cris de terreur. Sauf Tom, qui rit à en pleurer. C'est une vraie cacophonie de cris et de pleurs.

– Ta blague est très repoussante, très dégoûtante et très répugnante, dit une élève en regardant Tom d'un air dédaigneux.

Madame Monique, l'enseignante, accompagne Tom chez la directrice. Il est grand temps que Tom le Terrible soit puni pour ses bêtises.

Tom ne rit plus. Il trouve que les élèves de sa classe n'ont aucun sens de l'humour…

Chapitre 4

Un mauvais tour à madame Monique

Tom le Terrible se félicite d'avoir autant d'imagination. Il se demande si, à sa naissance, les fées ne l'auraient pas saupoudré de poudre de génie. Il croit qu'on devrait le récompenser et même le décorer pour son exceptionnelle créativité.

Tom arrive un peu plus tôt que prévu à l'école. Il se faufile dans la classe pour préparer son nouveau coup. Il se dépêche ensuite d'aller rejoindre les autres élèves dans la cour de l'école. Tom aime bien madame Monique, c'est pourquoi il veut la taquiner et la faire rire. Il est certain d'amuser toute la classe.

En sortant son cahier, Tom regarde du coin de l'œil madame Monique enfiler sa veste de laine.

Instantanément, madame Monique se met à se gratter. D'abord un peu, puis avec plus de vigueur, finalement avec acharnement. Plus l'enseignante se gratte, plus sa peau rougit et lui pique. On dirait qu'elle est assaillie par une armée de tiques et de puces.

Tout en se tortillant pour se gratter le dos, madame Monique dit aux élèves :
— J'ai l'impression que quelqu'un m'a joué un vilain tour. Ça me pique partout. C'est insupportable. Je ne suis pas bien. Je vais devoir rentrer à la maison. Je suis désolée, mais vous comprendrez que nous ne pourrons pas faire la sortie prévue pour cet après-midi.

Tom, fier de son coup, pouffe de rire. Il rit tellement qu'il en pleure. Quelle bonne idée il a eue! De la poudre à gratter… C'est trop drôle!

Tom cherche du regard un sourire de complicité, un élève qui, comme lui, trouve sa blague hilarante. Rien, absolument aucun sourire. Tout le monde le fusille du regard.

Tous les élèves sont vraiment mécontents. Madame Monique a dû rentrer chez elle. La sortie au parc a été annulée et la directrice a été obligée de remplacer madame Monique. Elle a donné aux élèves une interminable série d'exercices.

Le voisin de Tom est exaspéré. Il s'emporte :
– Toi, Tom le Terrible, tu es vraiment intenable, invivable, désagréable, haïssable et insupportable. À cause de toi, la sortie est annulée.

Tom hausse les épaules. Il ne rit plus. Il trouve que, décidément, les élèves de sa classe n'ont aucun sens de l'humour…

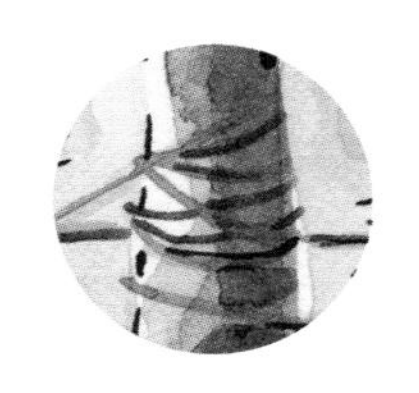

Chapitre 5

Une sucrée de bonne idée

La mère de Tom est désespérée. Les gens en ont assez des mauvais tours de Tom. D'abord, il y a eu le facteur. Ensuite, il y a eu la maman de Rosalie. Puis, il y a eu la directrice. Maintenant, c'est au tour de madame Monique. Mais que faire ?

Depuis quelque temps, Tom ne fait que des bêtises. Il semble prendre un malin plaisir à embêter les gens. Sa mère se demande bien comment lui faire comprendre que ses mauvaises blagues ne sont pas drôles du tout.

D'ailleurs, ce matin, avant que Tom ne parte pour l'école, elle l'a surpris en train de remplacer le contenu du sucrier par du sel. Il s'imaginait sans doute qu'elle en mettrait dans son café. Tom se croit bien malin…

La mère de Tom plisse les yeux et un grand sourire éclaire son visage. C'est qu'elle vient d'avoir une sucrée de bonne idée!

– Je vais lui jouer un tour dont il se souviendra longtemps, dit-elle.

La mère de Tom prépare le dessert préféré de son fils: du sucre à la crème. Mais au lieu de mettre du sucre, elle met du sel... Pas juste un peu, mais beaucoup de sel! De quoi remettre les idées de son fiston bien en place!

Tom est de retour de l'école. Sa mère l'entend refermer la porte d'entrée.
— Tom, viens dans la cuisine. J'ai une belle surprise pour toi ! lance sa mère d'un ton invitant.

Tom est curieux de voir la surprise que sa mère lui réserve.

— Chic ! Du sucre à la crème ! Tu es la meilleure maman du monde, dit-il en engouffrant un gros morceau de sa gâterie préférée.

Le visage du garnement passe du blanc au rouge. Puis, Tom recrache le morceau en faisant mille grimaces.

– Beurk ! Beurk ! Beurk ! Ce sucre à la crème est vraiment détestable, exécrable, abominable et infernal. C'est insupportable ! Mais maman, qu'as-tu fait ?

La mère de Tom lui répond avec un grand sourire:

– Mais qu'est-ce qu'il y a, mon petit Tom? Aurais-tu perdu ton sens de l'humour?

Table des matières

Tom est un joueur de tours.
Associe chaque mauvais tour
à sa victime.

Mauvais tours

A

des saucisses

B

une couleuvre

C

la poudre à gratter

D

du sel

Victimes

1 l'enseignante

2 la mère

3 Rosalie

4 le facteur

Associe chaque personne
à la phrase qu'elle prononce.

1 Viens ici, petit chenapan !

2 Ta blague est très repoussante…

3 J'ai l'impression que quelqu'un m'a joué un tour.

4 Toi, Tom le Terrible, tu es vraiment intenable…

5 Aurais-tu perdu le sens de l'humour ?

Attention aux couleuvres !

Tom cache une couleuvre verte
dans le sac de Rosalie.
Toi aussi, tu peux faire entrer
des couleuvres dans ton école.

Prépare une exposition
de couleuvres.

- Demande à des personnes de te prêter des figurines ou des animaux en peluche, en plastique, etc.
- Fabrique des couleuvres avec différents matériaux.

  EXEMPLES

  chaussette rembourrée de journaux,
  rouleaux de papier hygiénique,
  pâte à modeler, bouchons de liège,
  pâtes alimentaires
- Complète ton exposition avec des livres, des photos, des dessins ou des découpages.

Présente ton exposition à tes amis.

Viens jouer des mauvais tours !

Présente sous forme de saynète l'histoire **Tom le Terrible.**

- Fais la liste des personnages de l'histoire. N'oublie pas les personnages secondaires et les animaux.

- Prévois les accessoires et les décors.

  EXEMPLES

  accessoires : le sac du facteur, le sac de Rosalie, les saucisses, la couleuvre, le sel, le sucre

  décors : la rue, la maison, la classe

- Pratique les phrases que ton personnage doit dire.

- Imite les mimiques de ton personnage.

  EXEMPLES

  Le chien de madame Agathe :
  Il hurle de rage.
  Il gronde et montre les dents.

  Le marchand de crème glacée :
  Il a un regard glacial. Il soupire.

Petites charades

Écris sur une feuille ou dans un cahier.

1 **Mon premier** est un récipient dans lequel les enfants mettent du sable ou de l'eau.
Mon deuxième est un nombre entre un et dix.
Mon tout est un aliment que Tom utilise pour jouer un tour.

2 **Mon premier** est la première syllabe du mot **suçon**.
Mon deuxième est un verbe qui veut dire parler fort.
Mon tout est un contenant que Tom utilise pour jouer un tour.

3 **Mon premier** est un vêtement qui se porte sur le pied.
Mon deuxième est le contraire du mot **vite**.
Mon troisième est une partie de la journée.
Mon tout est un siège sur lequel les amis de Tom aiment s'asseoir.